D0240697
Enid Blyton®
SAITH SELOG
BRYSIWCH, SAITH SELOG,
BRYSIWCH!

Enid Blyton®

SAITH SELOG

BRYSIWCH, SAITH SELOG, BRYSIWCH!

Addasiad Cymraeg gan

Manon Steffan Ros

Arlunwaith gan Tony Ross

atebol

SAITH SELOG

Wyt ti wedi darllen y gyfres i gyd?

ANTUR AR Y FFORDD ADREF

ANTUR Y DA-DA

PNAWN GYDA'R SAITH SELOG

BLE MAE'R SAITH SELOG?

BRYSIWCH, SAITH SELOG, BRYSIWCH!

CYFRINACH YR HEN FELIN

Cyfres Ddarllen Lliw'r Pump Prysur

YR ANTUR HANNER TYMOR

MAE GWALLT JO YN RHY HIR

PNAWN DIOG

GO DDA, TWM

DA IAWN, PUMP PRYSUR

TWM YN HELA CATHOD

PUMP MEWN PENBLETH

NADOLIG LLAWEN, PUMP PRYSUR

SGAMP

Cyhoeddwyd gan Atebol Cyfyngedig yn 2016
Addaswyd i'r Gymraeg gan Manon Steffan Ros

Dyluniwyd gan Elgan Griffiths

Golygwyd gan Adran Olygyddol Cyngor Llyfrau Cymru

Cyhoeddwyd gyda chymorth ariannol gan Gyngor Llyfrau Cymru

www.atebol.com

Pennod 1

Roedd y Saith Selog wedi bod am bicnic. Aeth Sgamp gyda nhw, a bu ei gynffon yn chwifio'n llawen drwy'r

prynhawn! Doedd dim byd yn well ganddo na threulio amser gyda'r Saith Selog! Byddai rhywun bob tro'n gwneud ffws ohono, yn rhoi mwythau iddo neu'n sgwrsio ag o.

'Wel, mae'r fasged yn llawer ysgafnach nag oedd hi ar y ffordd yma!' meddai Sioned wrth i'r ffrindiau gerddded adref, a'r fasged wag yn siglo ar ei braich.

'O, sorri Colin, wyddwn i ddim dy fod di y tu ôl i mi.'

'Gwell i ti roi'r fasged 'na i Sgamp i'w chario,' meddai Colin. 'Dyna'r trydydd tro i ti 'nharo i efo hi!'

'Pa ffordd gerddwn ni adref – drwy'r caeau neu drwy'r dref?' holodd Pedr.

'Trwy'r dref!' atebodd y lleill yn llawn cyffro.

Roedd gan bawb yr un syniad – galw yn y siop hufen iâ. Felly tua'r dref â nhw.

Roedd hi'n ddiwrnod marchnad, ac roedd y strydoedd yn llawn. Rhuthrai pobol i bob cyfeiriad yn cario bagiau a pharseli, yn sgwrsio a chwerthin, a chrwydrai'r ceir yn araf er mwyn osgoi'r dyrfa.

Yn sydyn, gwibiodd dyn i lawr y stryd ar gefn ei

feic. Canai'r gloch fel petai mewn brys mawr, a bu'n rhaid i bobol neidio o'r ffordd. Llamodd Pedr i'r palmant er

mwyn osgoi'r dyn, a syllodd yn ddig ar ei ôl.

'Bron iawn iddo 'nharo i!' ebychodd Pedr. Ond yna, digwyddodd rhywbeth ofnadwy ...

PENNOD 2

CRASH!

Roedd y dyn ar y beic wedi taro car, ac wedi syrthio i'r llawr. Sgrechiodd rhywun o'r dyrfa, a rhuthrodd criw mawr draw at y dyn ar unwaith.

Rhedodd y plant yno hefyd. Gorweddai'r dyn ar ganol y lôn, wedi drysu'n lân, ac roedd ganddo glais mawr ar ei ben a briw gwaedlyd ar ei foch.

Daeth heddwas ato o ganol y dorf.

'Roedd o'n mynd fel y gwynt ar ei feic!' meddai

rhywun. 'Ac yn gweiddi ar bobol i symud o'r ffordd. Welodd o mo'r car nes ei bod hi'n rhy hwyr.'

Ceisiodd y beiciwr siarad, a phlygodd yr heddwas i wrando ar ei lais gwan. 'Mae o'n mwmian y gair "lifer" dro ar ôl tro,' meddai'r heddwas mewn penbleth. 'Ai dyna'i enw? Oes rhywun yn gwybod?'

Erbyn hyn, roedd torf fawr

wedi ymgasglu. 'Hei, i ffwrdd â chi!' gwaeddodd yr heddwas. 'A! Dyma'r meddyg – symudwch, blant, ar unwaith, er mwyn iddo ddod at y claf!'

Crwydrodd y Saith Selog o'r fan gyda gweddill y plant oedd wedi dod i weld beth oedd yn digwydd.

'Fydda i byth yn gwibio mor sydyn ar fy meic,' meddai Bethan. 'Byth bythoedd, yn enwedig ar ôl gweld y ddamwain yna.'

'Pwy oedd y dyn? Ydach chi'n gwybod?' holodd Pedr.

'Dim syniad,' atebodd Mali.

'Mae ei wyneb o'n gyfarwydd,' meddai Gwion gan grychu'i dalcen. 'Dwi'n siŵr 'mod i'n ei adnabod ...'

'Dw innau'n siŵr 'mod i wedi'i weld o'r blaen yn rhywle

hefyd,' meddai Jac yn feddylgar. 'Ond ble?'

'O, dim ots,' meddai Mali. 'Y peth pwysig rŵan yw bod heddwas a meddyg yn gofalu amdano.'

'Mae gen i deimlad ei fod o'n rhywbeth i'w wneud efo'r rheilffordd,' awgrymodd Gwion. 'Ydi o'n borthor yn yr orsaf?'

'Nac ydi,' atebodd Jac, oedd yn mynd yn aml i gwrdd

â'i dad oddi ar y trên, ac yn adnabod y porthorion i gyd. 'Dydi o ddim yn borthor, nac yn werthwr tocynnau, nac yn orsaf-feistr chwaith. Ac eto, mae gen i deimlad dy fod di'n iawn – *mae* o'n rhywbeth i'w wneud efo'r rheilffordd.'

'O, peidiwch wir,' meddai Mali. 'Dwi eisiau anghofio am y ddamwain! Roedd hi'n **ofnadwy**!'

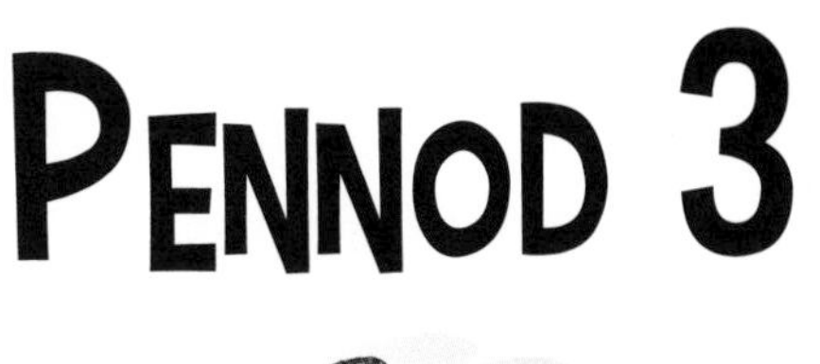

Wrth grwydro am adref, dechreuodd Pedr a Colin ddadlau am bêl-droed.

Ond torrodd Gwion ar

eu traws. '**Bobol annwyl**, dwi'n gwybod pwy ydi'r dyn yna! Roedden ni'n iawn – mae ganddo gysylltiad â'r rheilffordd!'

'Ai Lifer ydi ei enw fo?' gofynnodd Sioned.

'Na,' atebodd Gwion. 'Ond mae lifer yn rhan o'i waith. Fo ydi'r un sy'n symud y lifers yn y bocs signalau wrth i'r trenau ddod i'r orsaf!

Dach chi'n cofio ni'n ei wylio fo yn y bocs signalau, yn symud y lifer er mwyn agor y giatiau mawr, ac yn eu cau nhw wedyn ar ôl i'r trên fynd heibio?'

'Wrth gwrs!' meddai Jac. 'Mr Williams ydi o!'

'Bobol bach, gobeithio bod 'na rywun yna i symud y lifer erbyn i'r trên nesaf gyrraedd!' Stopiodd Pedr yn stond. 'Mae'n siŵr mai dyna pam roedd ffasiwn frys arno fo! Roedd o eisiau cyrraedd mewn pryd i agor y giatiau!'

'Bydd trên chwarter wedi chwech yn cyrraedd cyn hir!' meddai Colin. 'Trên Dad!'

'Awn ni'n ôl yn sydyn a dweud wrth yr heddwas,' meddai Sioned, gan ddychmygu'r trên yn chwalu'r giatiau.

‘Does dim amser,’ meddai Colin, gan edrych ar ei oriawr.

Gwnaeth Pedr benderfyniad sydyn. ‘Bobol annwyl,’ meddai. ‘Os nad oes unrhyw un i symud y lifer ar gyfer y trên nesaf, bydd ’na ddamwain! Hyd yn oed os bydd y trên yn aros ar y cledrau, bydd y giatiau’n chwalu’n deilchion.

Brysiwch – rhaid i ni redeg at y bocs signalau i weld a oes rhywun yna!'

Pennod 4

Rhedodd y Saith Selog, a Sgamp, i lawr y lôn, i fyny'r bryn, ac i lawr eto, nes cyrraedd y rheilffordd.

'Dewch, bawb!' galwodd Pedr a'i wynt yn ei ddwrn. 'Bydd y trên yn dod mewn ychydig funudau!'

Pedr oedd y cyntaf i gyrraedd y bocs signalau. Roedd o'n adeilad bach tlws wrth ymyl y groesfan, gyda gardd fechan o'i flaen.

Gwaeddodd Pedr wrth rasio at y drws, 'Helô? Oes 'na rywun gartref? Helô?'

Curodd yn frwd ar y drws a chanu'r gloch, ond ni ddaeth neb at y drws.

Neb o gwbl.

Brysiodd Colin at y ffenest. '**Oes rhywun gartref**?' gwaeddodd. Trodd at ei ffrindiau. 'Mae'r bocs signalau'n wag! Dyna pam roedd Mr Williams ar frys gwyllt. Does 'na neb yma i agor y giatiau cyn

daw'r trên nesaf!'

'A dyna pam roedd o'n gweiddi "Lifer! Lifer!"' meddai Sioned. 'O mam bach, be wnawn ni?'

'Symud y lifer ac agor y giatiau ein hunain, wrth gwrs,' atebodd Pedr, gan geisio peidio â chynhyrfu. Gallai weld fod y lleill yn dechrau cyffroi, a thalai hynny ddim. Roedd hi'n bwysig bod pawb yn canolbwyntio ac yn helpu, er mwyn darganfod ffordd i mewn i'r bocs signalau cyn gynted â phosib.

Edrychodd Colin o'i gwmpas am rywun a allai eu helpu. Ond doedd neb i'w weld heblaw am un ferch fach, a syllai honno ar y Saith Selog mewn syndod, heb ddweud gair.

‘Gwion! Sioned! Dewch efo fi i drio symud un o’r giatiau!’ gwaeddodd Pedr. ‘Jac, Mali, Bethan a Colin, ewch chi at y llall. Ond yn gyntaf, mae’n rhaid mynd i mewn i’r bocs signalau, ond wn i ddim sut! Ac er mwyn dyn, brysiwch – bydd y trên yma mewn munud!’

‘Rhaid i ni wrando

a gwylio'n ofalus iawn,' gwaeddodd Colin. 'Bydd o'n dod fel y gwynt tuag atom ni.'

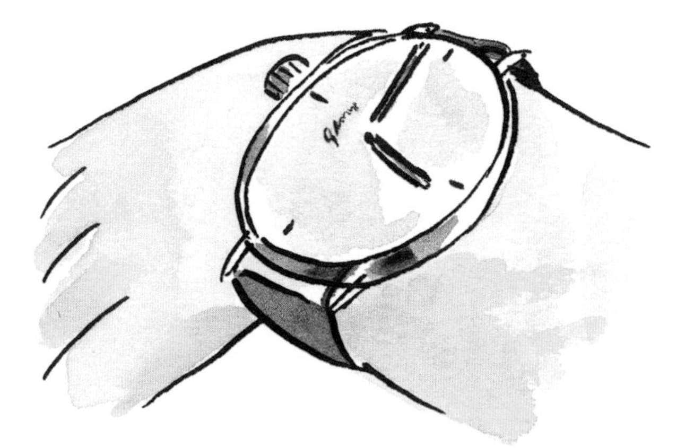

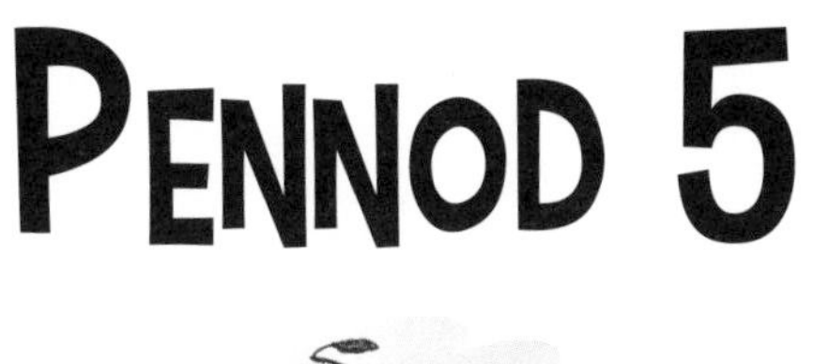

Pennod 5

Cyn pen dim, roedd y ffrindiau'n ceisio'u gorau glas i fynd i mewn i'r bocs signalau. Gwthiai Pedr y drws wrth i'r lleill chwilio dan botiau blodau am allwedd. Mae'n rhaid bod un wedi'i chuddio yn rhywle!

'Dwi'n clywed sŵn y trên!' galwodd Sioned. 'Ac mae'r traciau'n dechrau crynu! Brysiwch, brysiwch!'

Wrth i Colin chwilio wrth y drws, daeth o hyd i allwedd o dan y pot blodau.

'Dyma fo!' galwodd Colin

yn llawn cyffro.

'**Mae'r trên yn dod**!' bloeddiodd Mali. '**Mae'r trên yn dod**! Tyrd i'r bocs signalau, Pedr, **y munud 'ma**!'

Ac yn wir, daeth y trên i'r golwg. Chwibanai a rhuai yn uchel, a phan gododd Pedr ei ben gallai weld y trên yn agosáu.

Erbyn hyn, roedd

Colin wedi agor drws y bocs signalau. Rhuthrodd y Saith Selog i mewn a dechrau symud y lifers. Tynnodd pawb â'u holl nerth. Oedd, roedd y giatiau'n agor! Byddai'r trên yn pasio'n ddiogel!

Gwaeddodd Mali eto wrth i'r injan wibio heibio gan greu chwa o wynt cryf. Yna taranodd rhes o gerbydau ar ei ôl gan wneud twrw byddarol.

Pennod 6

Ymhen munud neu ddau, cyrhaeddodd y trên yr orsaf. Dechreuodd pobol adael y cerbydau, pob un yn edrych ymlaen at gyrraedd adref ar ôl diwrnod hir yn y gwaith.

Dychmygodd Colin ei dad ar y trên, yn plygu ei

bapur newydd ac yn paratoi i adael ei gerbyd.

'Dwi'n teimlo braidd yn benysgafn,' meddai Bethan yn sydyn, ac eisteddodd wrth ochr y lifer. 'O, bobol bach!'

'Mae'n siŵr mai'r cyffro sydd wedi mynd i dy ben di,' meddai Pedr, a'i galon yn curo'n gyflym. 'Mam bach, mi wnaethon ni'n dda i agor y giatiau mewn pryd.'

Daeth gwaedd sydyn. Trodd pawb i weld yr heddwas ar gefn ei feic, a dynion mewn car crand y tu ôl iddo.

'Hei! Be sy'n digwydd, blant? Ddaru chi lwyddo i agor y giatiau mewn pryd?'

'Do – eiliadau cyn i'r trên gyrraedd,' atebodd Pedr, yn llawn rhyddhad.

'Wel, ar fy ngwir!' meddai'r heddwas, gan gamu

oddi ar ei feic. Llamodd tri dyn o'r car mawr.

'Wnaethoch chithau hefyd ddeall pwy oedd Mr Williams pan soniodd am y lifer?' gofynnodd Pedr.

'Do, wel, mi fedrodd o esbonio yn y diwedd,' atebodd yr heddwas. 'Fe ddois i yma ar fy union – a'r dynion yma yn y car yn fy nilyn. Mam bach, pan welais i'r trên yn taranu heibio, ro'n i wir yn meddwl bod popeth ar ben! Ro'n i'n gwrando am sŵn y giatiau'n malu – ond na, roedd pob dim yr un fath ag arfer.'

'Sut yn y byd wnaethoch chi, blant, feddwl am symud y lifer?' gofynnodd un o'r dynion eraill.

'Wel, mi wnaethon ni gofio pwy oedd y dyn, a sylweddoli mai fo sy'n agor y giatiau,' meddai Gwion. 'Ac wedyn cofio am drên chwarter wedi chwech, a gwibio fel y gwynt am y bocs signalau!'

‘Cael a chael oedd hi,’ esboniodd Jac. ‘Whiw! Dwi’n chwysu chwartiau ar ôl rhedeg mor bell!’

‘Dwi’n chwilboeth!’ ychwanegodd Bethan, gan sychu’r chwys o’i thalcen.

Pennod 7

'Pwy ydych chi, blantos?' gofynnodd dyn mawr bochgoch, wrth syllu arnyn nhw. 'Rydych chi'n rhai siort

ora', mae'n amlwg i mi!'

'Ni yw'r Saith Selog,' atebodd Pedr yn falch, gan ddangos ei fathodyn. 'Ffrindiau sy'n barod am unrhyw beth, unrhyw bryd!'

'Wela i,' meddai'r dyn. 'Dwi'n swyddog efo'r cwmni rheilffyrdd, ac rydach chi wedi arbed llawer o ddifrod drwy agor y giatiau yna, yn ogystal ag osgoi damwain gas. Gallai'r trên fod wedi mynd oddi ar y cledrau.'

'Dwi'n falch iawn na wnaeth o,' meddai Colin. 'Roedd Dad yn teithio ar y trên yna. Dwi'n ysu am gael dweud yr hanes wrtho fo!'

'Wel, cyn i chi fynd, hoffwn i ofyn un gymwynas arall,' meddai'r swyddog, gan roi winc ar y dynion eraill.

'Be?' gofynnodd Pedr,

gan ddychmygu rhyw dasg gyffrous ar gyfer y Saith Selog.

'Rhoi help llaw i mi fwyta llond gwlad o hufen iâ!' chwarddodd y dyn. 'Rydych chi'n edrych mor boeth! Dwi'n siŵr y byddai hufen iâ yn helpu.'

'**O byddai**!' bloeddiodd y ffrindiau. Teimlai Bethan yn llawer gwell erbyn hyn. Roedd hi'n barod i fwyta tri hufen iâ,

o leiaf!

Aeth y dynion i'r bocs signalau a gwthio'r lifers. Caewyd y giatiau er mwyn i gerddwyr a cheir gael mynd heibio. Dychwelodd y dyn mawr i'w gar gan addo cwrdd â'r plant yn y caffi.

Cyn bo hir roedd pawb yn mwynhau llwythi o hufen iâ.

'Dyma'r hufen iâ mwya blasus i mi ei gael erioed!' meddai Pedr.

'Rwyt ti'n ei haeddu, 'machgen i,' atebodd y swyddog, oedd yn mwynhau

ei hufen iâ yntau. 'Sut yn y byd wnaethoch chi gyrraedd y giatiau mewn pryd? Dim ond ychydig funudau oedd gennych chi – mae'r peth yn anhygoel!'

'Ydi,' cytunodd Pedr yn feddylgar. 'Dwi ddim yn siŵr sut lwyddon ni, ond mi lwyddon ni, a dyna sy'n bwysig.'

Ie, dyna sy'n bwysig,

Saith Selog – y ffrindiau
sy’n barod am unrhyw beth,
unrhyw bryd!

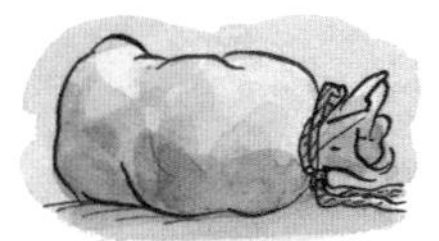

WEDI MWYNHAU? MWYNHEWCH GWEDDILL Y GYFRES

SAITH SELOG

STRAEON BYR MEWN LLIW ...

CYFRINACH YR HEN FELIN

Mae Pedr a Sioned yn meddwl mai'r Hen Felin ydi'r lle perffaith i gynnal eu cyfarfodydd cyfrinachol – nes iddyn amau fod lladron yn cwrdd yno hefyd! Mae gan y Saith Selog gynllun i dwyllo'r dihirod ...

Pump Prysur

Addasiadau Cymraeg **Manon Steffan Ros**
o gyfres enwog **Enid Blyton**.

Dyma eich cyfle i fwynhau anturiaethau
Siôn, Dic, Jo, Ani a Twm - Y Pump Prysur.

Cyfres ddarllen ar gyfer darllenwyr ifanc sy'n mwynhau
darllen am anturiaethau'r criw enwog. Pleser Pur!

Pump Prysur

Addasiadau Cymraeg **Manon Steffan Ros** o gyfres enwog **Enid Blyton**.

Dyma eich cyfle i fwynhau anturiaethau Siôn, Dic, Jo, Ani a Twm - Y Pump Prysur.

Cyfres ddarllen ar gyfer darllenwyr ifanc sy'n mwynhau darllen am anturiaethau'r criw enwog. Pleser Pur!